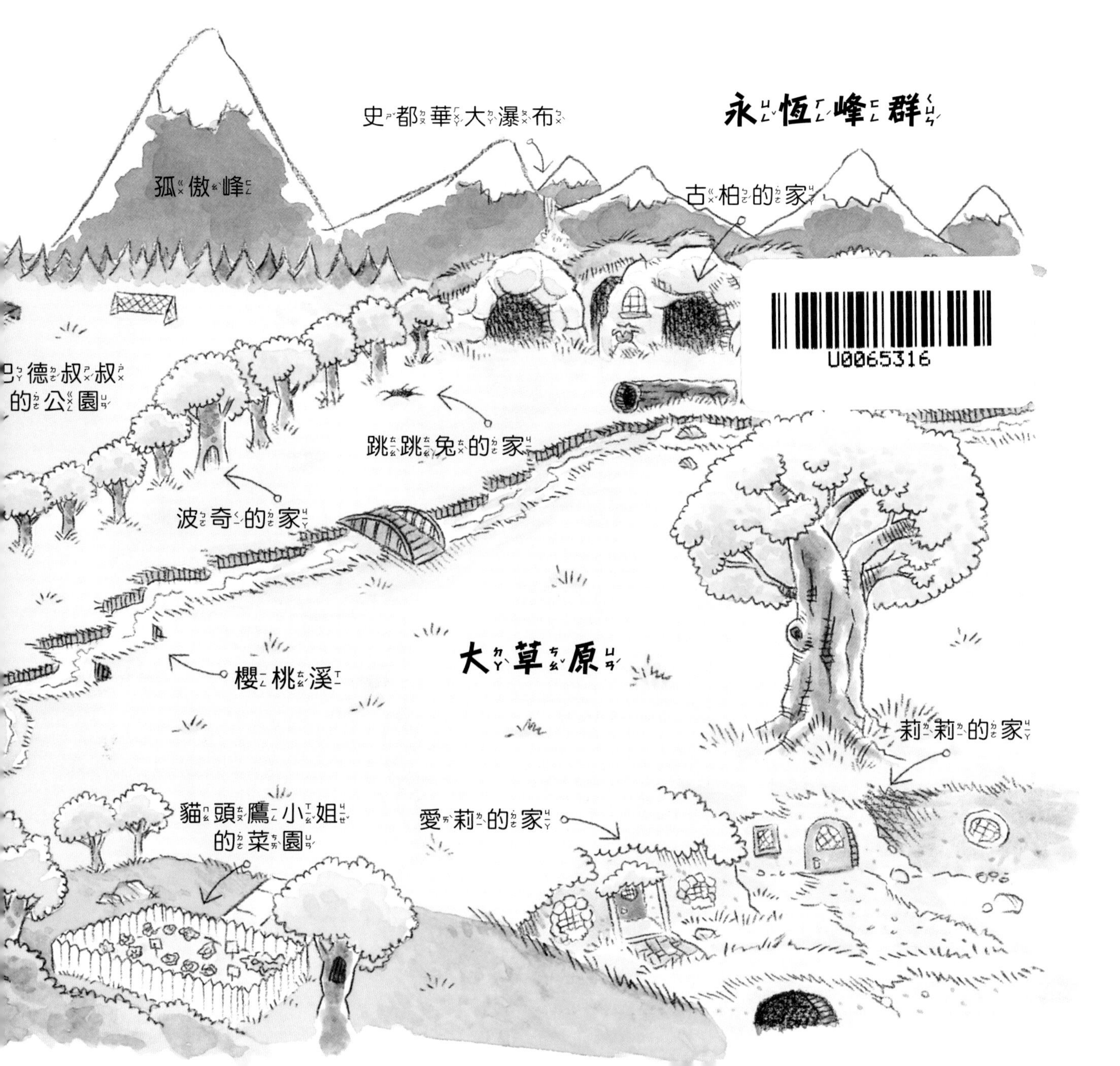

永恆峰群
史都華大瀑布
孤傲峰
古柏的家
德叔叔
的公園
跳跳兔的家
波奇的家
大草原
櫻桃溪
莉莉的家
貓頭鷹小姐
的菜園
愛莉的家

知識繪本館

幸福孩子的7個好習慣❼不斷更新

古柏和爺爺

文｜西恩・柯維 Sean Covey

圖｜史戴西・柯提斯 Stacy Curtis　譯｜黃筱茵

責任編輯｜詹嬿馨　美術設計｜陳宛昀　行銷企劃｜王予農

天下雜誌群創辦人｜殷允芃　董事長兼執行長｜何琦瑜

媒體暨產品事業群

總經理｜游玉雪　副總經理｜林彥傑　總編輯｜林欣靜

行銷總監｜林育菁　主　編｜楊琇珊　版權主任｜何晨瑋、黃微真

出版者｜親子天下股份有限公司　地址｜台北市104建國北路一段96號4樓

電話｜（02）2509-2800　傳真｜（02）2509-2462　網址｜www.parenting.com.tw

讀者服務專線｜（02）2662-0332　週一～週五 09:00-17:30

讀者服務傳真｜（02）2662-6048

客服信箱｜parenting@cw.com.tw

法律顧問｜台英國際商務法律事務所・羅明通律師

製版印刷｜中原造像股份有限公司

總經銷｜大和圖書有限公司　電話｜（02）8990-2588

出版日期｜2023年4月第一版第一次印行

2024年3月第一版第三次印行

定價｜280元

書號｜BKKKC236P

ISBN｜978-626-305-444-8（精裝）

訂購服務

親子天下Shopping｜shopping.parenting.com.tw

海外・大量訂購｜parenting@cw.com.tw

書香花園｜台北市建國北路二段6巷11號　電話｜（02）2506-1635

劃撥帳號｜50331356 親子天下股份有限公司

國家圖書館出版品預行編目資料

幸福孩子的7個好習慣.7,不斷更新:古柏和爺爺 / 西恩.柯維(Sean Covey)文；史戴西.柯提斯(Stacy Curtis)圖；黃筱茵譯. -- 第一版. -- 臺北市：親子天下股份有限公司, 2023.04

32面；20.3×17.8公分. -- (知識繪本館)

國語注音

譯自：The 7 habits of happy kids : goob and his grandpa

ISBN 978-626-305-444-8(精裝)

1.CST: 育兒 2.CST: 繪本

428.8　　112001736

文／西恩・柯維（Sean Covey）

富蘭克林柯維公司的執行副總，專責教育部門。

史蒂芬・柯維之子，哈佛大學企管碩士。致力於將領導力原則及技能帶給全球的學生、教育工作者、學校，以期帶動全球的教育變革。

他是《紐約時報》的暢銷書作者，著作包括：《與未來有約》、《與成功有約兒童繪本版》，以及被譯成二十種語言、全球銷售逾四百萬冊的《7個習慣決定未來》。

圖／史戴西・柯提斯（Stacy Curtis）

美國漫畫家，插圖畫家和印刷師，同時也是理查德· 湯普森（Richard Thompson）連環畫《薩克》的著墨人。柯提斯（Curtis）和他的雙胞胎兄弟在肯塔基州的鮑靈格林（Bowling Green）長大，年輕的史戴西（Stacy）夢想著在這裡創作連環漫畫。

譯／黃筱茵

國立臺灣大學外文系兼任講師。國立臺灣師範大學英語研究所博士班〈文學組〉學分修畢。曾任編輯，翻譯過繪本與青少年小說等超過三百冊，擔任過文化部中小學生優良課外讀物評審、九歌少兒文學獎評審、國家電影視聽中心繪本案審查委員等。近年來同時也撰寫專欄、擔任講師，推廣繪本文學與青少年小說。從故事中試著了解生命裡的歡喜悲傷，認識可以一起喝故事茶的好朋友。

獻給我的寶貝女兒瑞秋

她的一生非常美麗。

我無比期盼我們能再度一起騎上越野腳踏車。

——西恩・柯維 Sean Covey

紀念馬克

我們想念你

——史戴西・柯提斯 Stacy Curtis

幸福孩子的7個好習慣 7 不斷更新

古柏和爺爺

文／西恩・柯維 Sean Covey

圖／史戴西・柯提斯 Stacy Curtis

譯／黃筱茵

7橡鎮的朋友們
豪豬波奇
跳跳兔
小熊古柏
松鼠蘇菲
臭鼬莉莉
松鼠山米
老鼠愛莉

小熊古柏和爺爺不管做什麼事都在一起。
他們一起到魚眼湖抓小蟲、在北方樹林裡慢慢健行，
他們會一起爬樹、一起吃蜂巢裡的蜂蜜，
也很愛在客廳地板上玩摔角。
「小古柏，我愛你。」爺爺會這樣說。
「爺爺，我也愛你！你是我最好的朋友。」小熊古柏會甜甜的回答。

一個星期一早晨，小熊古柏沒有來上學。嗚嗚老師說：「同學們真抱歉，我必須告訴你們一個壞消息——古柏的爺爺昨天過世了……

所以這個禮拜，古柏都沒辦法來上學。但是老師想要邀請大家一起幫他打氣，因為這種時候真的很需要朋友的支持。」

下課時，小熊古柏的好朋友們聚在一起。

「真糟糕，古柏一定很想念他爺爺。」臭鼬莉莉說。

「我們應該去探望他。」豪豬波奇說。

「古柏正傷心，他會想見任何人嗎？」松鼠蘇菲說。

「嗯！如果換作是你，你會希望我們怎麼做呢？」松鼠山米說。

「我會希望『尼』們待在『偶』身邊。」老鼠愛莉說。

那天放學後，大家一起去小熊古柏家拜訪，小熊古柏正一個人坐在後院默默傷心。

「嗨，古柏，我們來看你了。」臭鼬莉莉說。

「關於爺爺的事，我們都感到很難過，他真是個大好人。」豪豬波奇說。

「謝謝你，波奇。我好難過，我不知道自己還能不能再開心起來。」小熊古柏說。

「沒關係，我們會陪著你。」跳跳兔說。

大家圍繞在小熊古柏身旁陪他一起哀悼，等到大家必須回家的時候，小熊古柏覺得自己好一點了。

第二天，朋友們又聚在一起討論，希望可以想出最好的點子幫助小熊古柏。大家知道小熊古柏需要朋友的陪伴，決定每天放學後都派一個人去陪他。

星期二，松鼠山米和松鼠蘇菲帶著登山杖現身，他們陪小熊古柏在北方樹林裡慢慢健行。

「這真是讓人感覺活力充沛呀。」松鼠蘇菲說。

「爺爺最愛在樹林裡散步了。」小熊古柏說。

星期三，豪豬波奇陪小熊古柏到魚眼湖去抓小蟲。

星期四，臭鼬莉莉和老鼠愛莉一起幫小熊古柏拿到樹上蜂巢裡的蜂蜜。雖然臭鼬莉莉很怕蜜蜂，但是老鼠愛莉覺得蜜蜂很可愛。

星期五，跳跳兔答應和小熊古柏一起在客廳地板上玩摔角。跳跳兔覺得不怎麼好玩，因為小熊古柏一次接一次的壓扁他。不過小熊古柏玩得很開心，所以跳跳兔也很高興，就連小熊古柏的媽媽好像也不介意他們玩得這麼瘋狂。

熊洞啊！
甜蜜的熊熊洞

星期六，大家又去陪小熊古柏。

「我們帶了東西要給你。」松鼠蘇菲說。

「是我們自己做的蜂蜜巧克力蛋糕喔！別擔心，這次我們有按照食譜做。」臭鼬莉莉說。

「是我的最愛耶！」小熊古柏露出了微笑。

「我也做了一張『咖』片給你。」老鼠愛莉說。

老鼠愛莉翻開卡片，念出她寫的話：

親愛的古柏：

你『耶』爺過世了，我真的很難過。以前他是你最好的朋『偶』。現在我、跳跳兔、波奇、『妮妮』、蘇菲和山米會永『演』當你最好的朋『偶』。我愛你！

愛莉上

跳跳兔聽完後感動的哭了起來，小熊古柏給了他一個大大的擁抱。

「謝啦，愛莉！你寫的話真的對我意義重大，謝謝大家當我的朋友，我會想念爺爺，可是我不再覺得那麼傷心了。」小熊古柏說。

親子共讀小叮嚀

第7個好習慣：不斷更新——身心平衡的感覺最棒

我還記得我父親過世時，我是怎麼深受打擊。我知道我永遠不一樣了。他過世後，我原本以為自己需要獨處，後來卻很驚訝的發現情況正好相反，與家人和朋友們相處對我才最有幫助。這場痛苦的試煉再次提醒了我：在萬事萬物偉大的計畫中，家人、朋友的關係才是真正重要的事。所有其他的一切都轉瞬即逝，沒有人在臨終前會希望自己之前花更多時間在辦公室裡。

可是在這個狂亂的世界裡，我們太忙著駕駛，忙到沒時間加油。我們被工作和待辦清單困住，忘了和我們身旁活生生的人們好好相處，共度高品質、面對面的時光。這就是為什麼我們需要第7個好習慣，它提醒了我們應該花時間為自己重新注入活力、放鬆、散步、大笑、哭泣、退一步深思，將時間投資在我們最重要的關係上。

在這個故事裡，記得為孩子們點出小熊古柏的朋友們讓他生命這段艱難的時光變得多麼不同。朋友或家人感覺受傷時，通常我們能做的最棒的事，就是告訴他們我們也很遺憾、陪他們一起傷心。我們不需要特別說任何話或是改變什麼，只需要待在他們身邊，讓他們知道我們很在乎。希望我們都樂於更新自己、定時陪伴我們愛的人，不論是好時光，或是傷心的時刻都一樣。

一起來討論

1.小熊古柏為什麼沒去上學呢？
2.你的生命中曾經失去任何親近的人嗎？你對這件事有什麼感覺？
3.你喜歡和爺爺奶奶一起做什麼呢？
4.小熊古柏的好朋友們怎麼幫他打氣？
5.如果這件事發生在你身上，你會希望朋友們怎麼幫你打氣？
6.你難過時，都做些什麼才能讓自己感覺比較好一點呢？

你可以這樣做！

1.寫封信給失去摯愛的某個人。
2.跟爸爸媽媽談一談如果你們家失去一位摯愛的人時，你可以怎麼做，或者將會怎麼做。
3.出門散步，沿途尋找會讓你開心的美麗事物。
4.畫一張你和爺爺奶奶的圖，請爸爸媽媽把圖畫寄給爺爺奶奶。
5.跟爸爸媽媽和爺爺奶奶聊天，多了解一些家族歷史和關於祖先們的事。

永恆山峰群
沙丘
北方樹林
櫻桃溪
水獺之家
山羊島
爬爬丘陵
迷霧森林
野生樹林